Le Louvre

Peinture
Dessins

Une production Trois-Continents - Lausanne.

L'ensemble des documents photographiques de cet ouvrage a été fourni par la R.M.N., Réunion des Musées nationaux.

ISBN 2-8264-0139-4
EAN 978282601391

Julien SPIESS et Sophie FERLONI

Le Louvre

Peinture Dessins

annoté des propos de Gustave Geffroy

TROIS - CONTINENTS

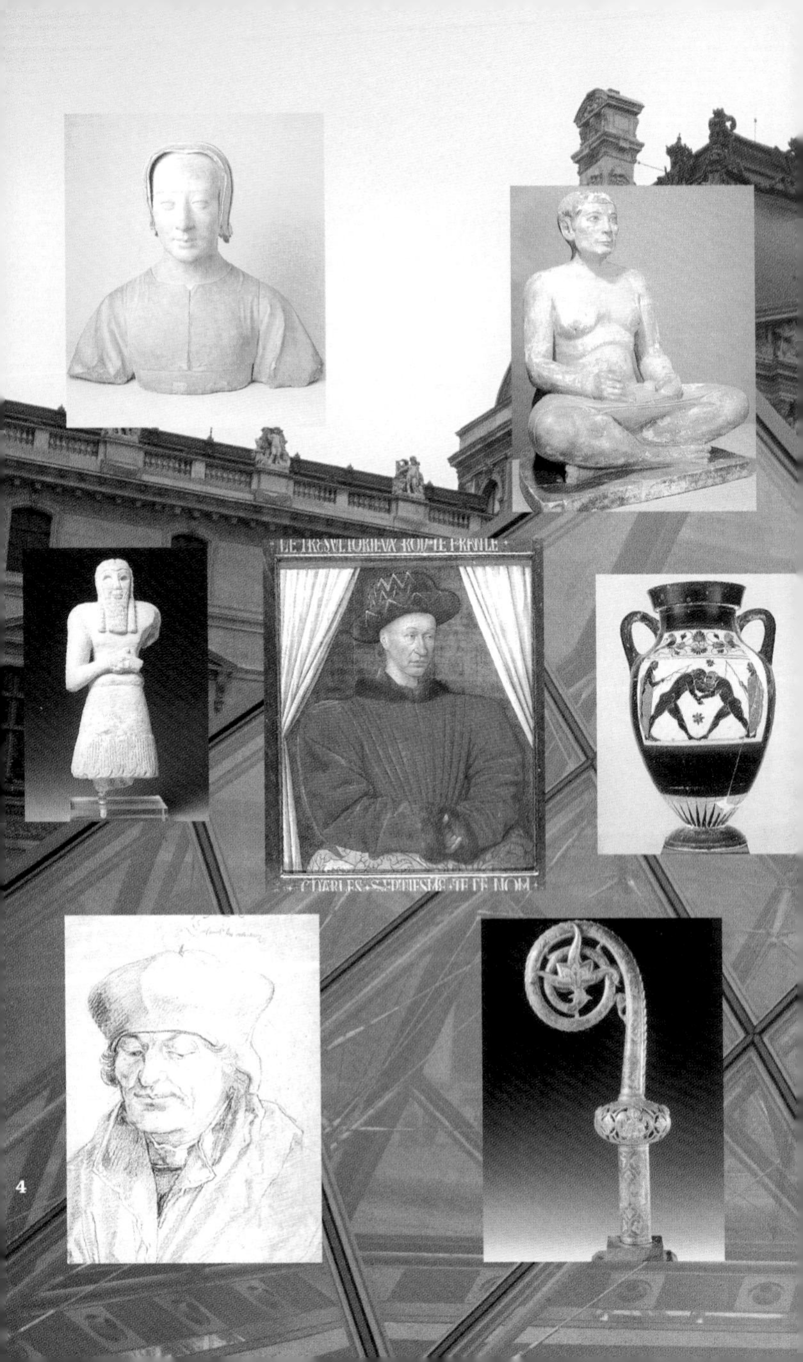

LES COLLECTIONS

Sept départements se partagent les collections du Louvre. La répartition répond à des critères à la fois géographiques et chronologiques pour certains et techniques pour d'autres.

Alimentés par les fouilles archéologiques de ces deux derniers siècles, les trois premiers départements nous donnent accès, à travers toutes les techniques artistiques possibles, aux civilisations anciennes de la Méditerranée, du Proche-Orient et de l'Islam.

Ce sont les Antiquités orientales, les Antiquités égyptiennes et les Antiquités grecques, étrusques et romaines.

Concernant les quatre autres départements, qui témoignent de l'art occidental moderne, ils embrassent des périodes moins vastes (du haut Moyen Age au milieu du XIXe siècle), sur une zone géographique plus restreinte (l'Europe occidentale); le découpage se fait alors selon la technique utilisée. Ce sont les départements de Sculpture, Objets d'art, Peintures, et Arts graphiques.

LE DESSIN

Le dessin n'est pas moins essentiel à l'architecture, à la peinture, à la statuaire, à la gravure, à tous les arts, en un mot, qu'on appelle justement les arts du dessin. Dans tous ces arts, c'est par le dessin seul qu'on arrive à établir, entre les diverses parties des choses et entre les choses elles-mêmes, les justes rapports qui font les proportions et l'harmonie de l'ensemble.

C'est par le dessin que l'architecte se rend compte des divers aspects de son édifice futur, sous les trois dimensions : hauteur, largeur et profondeur. C'est par le dessin que le sculpteur discernera les formes les plus belles, les mouvements les plus expressifs pour exprimer son idée, qu'il atteindra au caractère, à l'expression, au style. Dans les ouvrages de gravure, le dessin est le fait de l'artiste; le reste appartient à l'ouvrier.

Au XIe et au XIIe siècle, il y eut un premier réveil des arts du dessin, réveil que signalèrent d'abord les travaux des architectes. En Italie, dès le commencement du XIIIe siècle, Giunta de Pise, Guido de Sienne, Bonaventura, Berlinghieri, à Lucques, se signalèrent par de travaux d'un style tout opposé à celui des artiste grecs. Mais le principal promoteur de la réform fut Cimabue.

Dans la suite, les artistes italiens qui firer faire le plus de progrès au dessin furent : Stefan Fiorentino, gendre de Giotto; Tommaso c Stefano, qui mérita d'être surnommé le Giottin (le petit Giotto); Masaccio, qui surpassa tous se devanciers dans le dessin du nu et des raccourci Dans les pays du Nord, principalement e Flandre, les Van Eyck et leurs disciples furer surtout d'éminents coloristes; mais ils s montrèrent aussi des dessinateurs très fins, trè nets, sinon très souples et très gracieux.

Le XVIe siècle fut le siècle des grand dessinateurs. En Italie, Léonard de Vinc Michel-Ange, Raphaël et ses disciples, Fr Bartolomeo, le Corrège, Andrea del Sarto, l Titien, le Giorgione, le Tintoret, Véronèse; e Allemagne, Dürer, Holbein, portèrent l'art d dessin au plus haut degré de perfection, grâc à l'étude assidue et à l'imitation scrupuleus de la nature.

Louis XIII et Richelieu au siège de Ré
Jacques Callot (1592-1636)
Pierre noire, lavis brun, 0.34 x 0.53

Saint Martin coupant un pan de son manteau
Jean Fouquet (Vers 1420-1477/81)
Aquarelle, gouache et rehauts d'or sur vélin, 0.16 x 0.12

PEINTURE

C'est Louis XIV qui a considérablement enrichi la collection du cabinet des tableaux entreprise à Fontainebleau par François Ier. Près de 1500 peintures dénombrées lors de l'inventaire de 1709-1710. Depuis, avec la chute de la Royauté, les confiscations opérées sur les biens d'Eglise et sur ceux des émigrés, les saisies révolutionnaires et napoléoniennes, les nombreuses donations, dations et acquisitions, la collection n'a cessé de se développer.

Soucieux d'être le reflet de toutes les tendances picturales de l'Europe, tout en étant le conservateur exhaustif de la peinture française, cet immense département abrite aujourd'hui dans ses murs plus de 6 000 peintures européennes. De tous les musées du monde, c'est certainement le Louvre qui possède la collection de peintures la plus complète, sinon la plus nombreuse.

LA PEINTURE FRANÇAISE

Les artistes du moyen âge ne se bornèrent pas à peindre à fresque; ils peignirent à la colle, à l'œuf, à l'huile. La peinture en mosaïque ne cessa, d'ailleurs, jamais d'être cultivée, et la peinture sur verre produisit des œuvres considérables dès le XIIe siècle.

Au XIVe siècle, la peinture française, complètement dégagée de l'imitation byzantine, se livre à l'observation directe de la nature. Les procédés d'exécution se transforment moins rapidement; le dessin l'emporte sur la coloration; l'or est moins prodigué.

Au XVe siècle, Jean Fouquet, de Tours, porta l'art de la miniature et du portrait à sa perfection. Ce fut de Flandre que vint s'établir en France, vers l'an 1460, le premier des Clouet (Jean), chef d'une famille de portraitistes célèbres. Sa réputation fut éclipsée par celle de son fils, connu sous le nom de Janet.

La réputation que ces artistes obtinrent de leur vivant n'empêcha malheureusement pas les rois et les grands seigneurs (François Ier en tête) de mander en France des artistes étrangers. Ainsi s'établirent, en France, Andrea del Sarto, Cellini, le Primatice, etc. L'influence des deux derniers fut considérable. Après la mort du Primatice, ses élèves continuèrent, en l'exagérant, la manière pompeuse et prétentieuse des Italiens. Dans la foule de leurs imitateurs, Jean Cousin fait une figure relativement originale.

Au commencement du XVIIe siècle, les peintres flamands étaient fort goûtés en France.

L'école française revint à l'éclectisme italien avec Simon Vouet, qui, après s'être formé en Italie par l'étude des œuvres de Véronèse et du Guide, fut appelé à Paris par Louis XIII. Vouet forma de nombreux élèves, parmi lesquels il faut citer Lebrun, qui eut sur l'art de son époque une influence prépondérante. Poussin, toutefois, s'affranchit de toute tutelle en s'établissant à Rome.

Lebrun fixa en France le canon de l'académisme, et nul artiste en place ne fut plus funeste au goût de son temps. Néanmoins, il usa de son influence pour aider au développement des institutions artistiques de son pays : il fonda l'académie de peinture et de sculpture, il accrut les trésors d'art du cabinet du roi, qui est devenu le musée du Louvre, ouvrit la manufacture des Gobelins, enfin obtint de Louis XIV la fondation de l'académie de France à Rome.

Portrait de Jean II le Bon, roi de France depuis 1350
Ecole française (1319-1364)
Vers 1350. Bois, 0.60 x 0.44

Watteau, au seuil du XVIIIe siècle, a l'amour de toutes les libertés que Lebrun a proscrites. Il fait école, sans être bien compris.

David, dessinateur savant, penseur austère, cherche à ramener l'école française aux sujets héroïques, à la noblesse des pensées et du style. Son influence s'étend même sur la direction de l'art dans les pays voisins de la France.

Cependant, l'exagération où tombèrent la plupart des disciples de David suscita une réaction violente, vers 1830. En opposition avec les classiques, se forma l'école dite romantique. Aux poncifs de l'académie, aux sujets grecs ou romains, cette école substitua les scènes empruntées à la littérature et à l'histoire modernes; elle abandonna le nu pour peindre les costumes éclatants; elle mit la couleur au-dessus du dessin, la fantaisie au-dessus de l'imitation servile du modèle.

" C'est une sorte de miniature agrandie, aux proportions mal observées, mais où apparaissent un souci touchant des détails et un soin particulier dans le dessin des figures ".

Retable de St Denis pour la Chartreuse de Champmol
1416. Henri Bellechose (mort vers 1440/44)
Transposé de bois sur toile, 1.62 x 2.11

Retable de Boulbon Ecole française,
Provence. Milieu du XVe siècle
Transposé de bois sur toile, 1.72 x 2.28

" C'est un pauvre homme aux cheveux rares, aux yeux tristes, au grand nez, à la bouche molle, hébétée comme un homme ivre, aucune pensée, aucune volonté ".

Portrait de CharlesVII (1403-1461), roi de France depuis 1422
Jean Fouquet (vers 1420-1477/81)
Vers 1445-1450. Bois, 0.86 x 0.71

Portrait présumé de Madeleine de Bourgogne, dame de Laage, présentée par Ste Madeleine
Jean Hey dit « Le Maître de Moulins » (connu entre 1480 et 1500)
Vers 1490. Bois, 0.56 x 0.40

Portrait de Pierre Quthe, apothicaire
François Clouet (mort en 1572)
1562. Bois, 0.91 x 0.70

Diane chasseresse
Ecole de Fontainebleau. Milieu du XVI [e] siècle
Toile, 1.91 x 1.32

Elizabeth d'Autriche (1554-1592), Reine de France, femme de Charles IX
François Clouet (mort en 1572)
Bois, 0.36 x 0.26

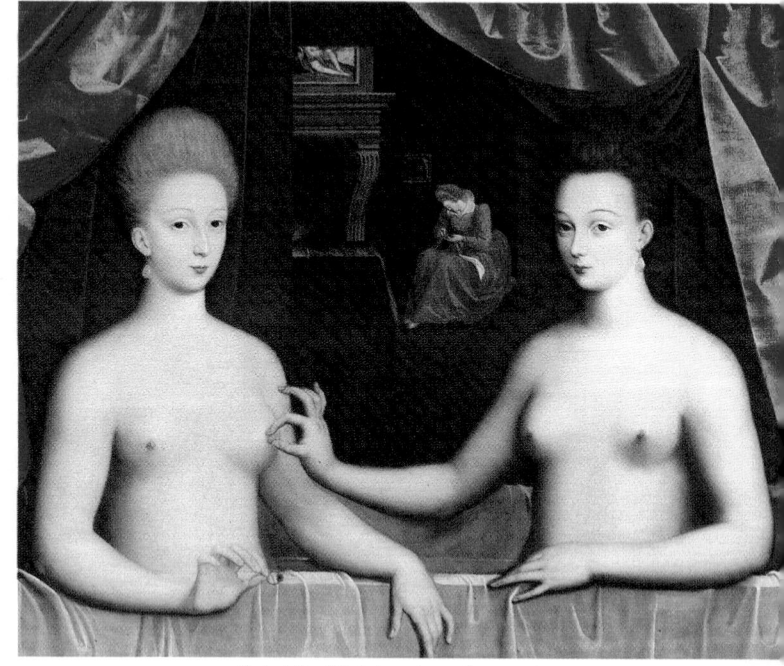

Gabrielle d'Estrées et une de ses sœurs
Ecole de Fontainebleau
Fin du XVIe siècle. Bois, 0.96 x 1.25

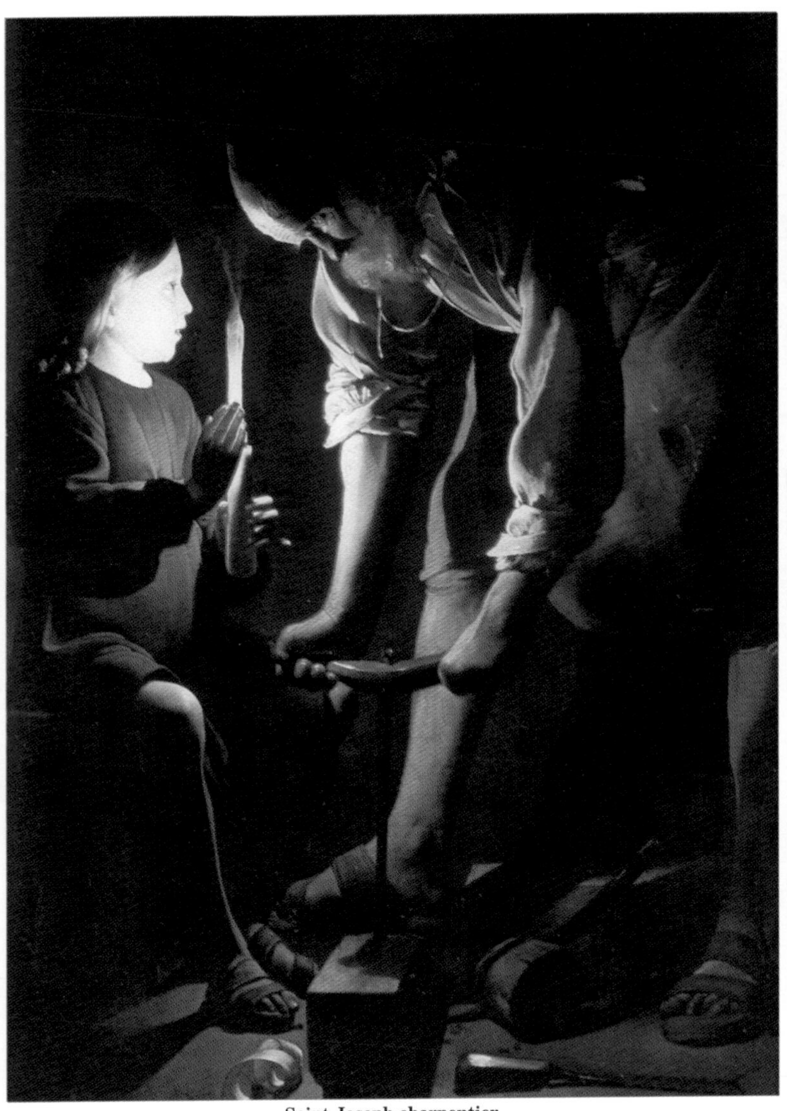

Saint-Joseph charpentier
Georges de La Tour (1593-1652)
Vers 1640. Toile, 1.37 x 1.02

La Madeleine à la veilleuse *(détail)*
Georges de La Tour (1593-1652)
Toile, 1.28 x 0.94

Le Tricheur
Georges de La Tour (1593-1652)
Vers 1635-1640. Toile, 1.06 x 1.46

*" Je préfère, aux autres compositions de Valentin,
une toile comme " le Concert ", où tout chante, où tout concourt
à une représentation de la musique vocale et instrumentale ".*

Un Concert
Valentin de Boulogne (1594-1632)
Vers 1622-1625. Toile, 1.75 x 2.10

La Mère Catherine Agnès Arnauld et la sœur Catherine de Sainte Suzanne *dit* **Ex-Voto**
Philippe de Champaigne (1602-1674)
1662. Toile, 1.65 x 2.29

" La reine suivie de ses femmes, s'avançant vers Antoine, pendant que la mer étincelle, que les hauts vaisseaux dressent leurs riches architectures ".

Le Débarquement de Cléopâtre à Tarse
Claude Gellée dit Le Lorrain (1600-1682)
1642. Toile, 1.19 x 1.68

Figure allégorique *dite* **La Richesse**
Simon Vouet (1590-1649)
Vers 1640. Toile, 1.70 x 1.24

Eliezer et Rebecca
Nicolas Poussin (1594-1665)
Toile, 1.18 x 1.99

" On peut hésiter devant la tonalité générale,
la couleur sourde, les tons neutres, les arrangements des paysages,
le décor des architectures, les groupements de personnages
qui font songer à des statues, à des bas-reliefs
ou à des figurations de théâtre ".

L'Enlèvement des Sabines
Nicolas Poussin (1594-1665)
Vers 1637/38. Toile, 1.59 x 2.06

L'Été *ou* **Ruth et Booz**
Nicolas Poussin (1594-1665)
Vers 1660-1664. Toile, 1.18 x 1.60

La Charrette *ou* **Le Retour de la fenaison**
Antoine (ou Louis ?) Le Nain (1600/1610-1648)
Toile, 0.56 x 0.72

La Tabagie *ou* **Le corps de garde**
Mathieu Le Nain (1607-1677)
Toile, 1.17 x 1.37

St Bruno examine un dessin des thermes de Dioclétien
Emplacement de la future Chartreuse de Rome
Eustache Le Sueur (1616-1655). Toile, 1.62 x 1.14

" Peinture volontairement retenue, effacée, sans accent, à laquelle on finit par trouver une originalité faite de doux maintien, d'expression calme, de dessin tranquille, de couleurs limpides, de gris transparents, de bleus célestes ".

Clio, Euterpe et Thalie
Eustache Le Sueur (1616-1655)
Vers 1652. Bois, 1.30 x 1.30

Louis XIV, roi de France
Hyacinthe Rigaud (1659-1743)
1701. Toile, 2.77 x 1.94

" Auprès de lui, un âne
dont l'œil doux
et velouté est tout
un poème de malice
et de douceur ".

Portrait présumé du peintre, de sa femme et de sa fille
Nicolas de Largillière (1656-1746)
Vers 1710. Toile, 1.49 x 2.00

Pierrot *dit autrefois* **Gilles**
Jean-Antoine Watteau (1684-1721)
Vers 1718-1719. Toile, 1.84 x 1.49

" Sa fantaisie mène le cortège des pélerins, qui s'en vont vers la barque pavoisée, conduite par des amours, vers la mer éblouissante et brumeuse ".

L'Embarquement pour Cythère
Jean-Antoine Watteau (1684-1721)
1717. Toile, 1.29 x 1.94

Le Déjeuner
François Boucher (1703-1770)
1739. Toile, 0.81 x 0.65

La Marquise de Pompadour
Maurice Quentin de La Tour (1704-1788)
1752-1755. Pastel sur papier gris-bleu, 1.77 x 1.31

Naïade
François Boucher (1703-1770)
Vers 1753. Crayon noir, encre de Chine, rehauts de blanc et sanguine, 0.26 x 0.36

Hercule et Omphale
François Lemoyne (1688-1737)
1724. Toile, 1.84 x 0.91

L'Enfant au toton, Auguste-Gabriel Godefroy *(1728-1813)*
Jean-Siméon Chardin (1699-1779)
Toile, 0.67 x 0.76

La Pourvoyeuse
Jean-Siméon Chardin (1699-1779)
1739. Toile, 0.47 x 0.38

" Elle est comme la muse courageuse et tranquille de l'artiste ".

Le Fils puni
Jean-Baptiste Greuze (1725-1805)
1778. Toile, 1.30 x 1.63

" Le délice des mouvements libres et jeunes,
des chairs mouillées, éclatantes, rosées, bleuies,
par l'éclat du jour et la douceur de l'ombre ".

Les Baigneuses
Jean-Honoré Fragonard (1732-1806)
Toile, 0.64 x 0.80

Le Serment des Horaces
Jacques-Louis David (1748-1825)
1784. Toile, 3.30 x 4.25

Le Sacre de Napoléon Ier, le 2 décembre 1804
Jacques-Louis David (1748-1825)
1806-1807. Toile, 6.21 x 9.79

Atala au tombeau *dit aussi* **Funérailles d'Atala**
Anne-Louis Girodet de Roussy-Trioson (1767-1824)
1808. Toile, 2.07 x 2.67

Le Bain Turc
Jean-Auguste-Dominique Ingres (1780-1867)
1862. Toile D. 1.08

La Grande Odalisque
Jean-Auguste-Dominique Ingres (1780-1867)
1874. Toile 0.91 x 1,62

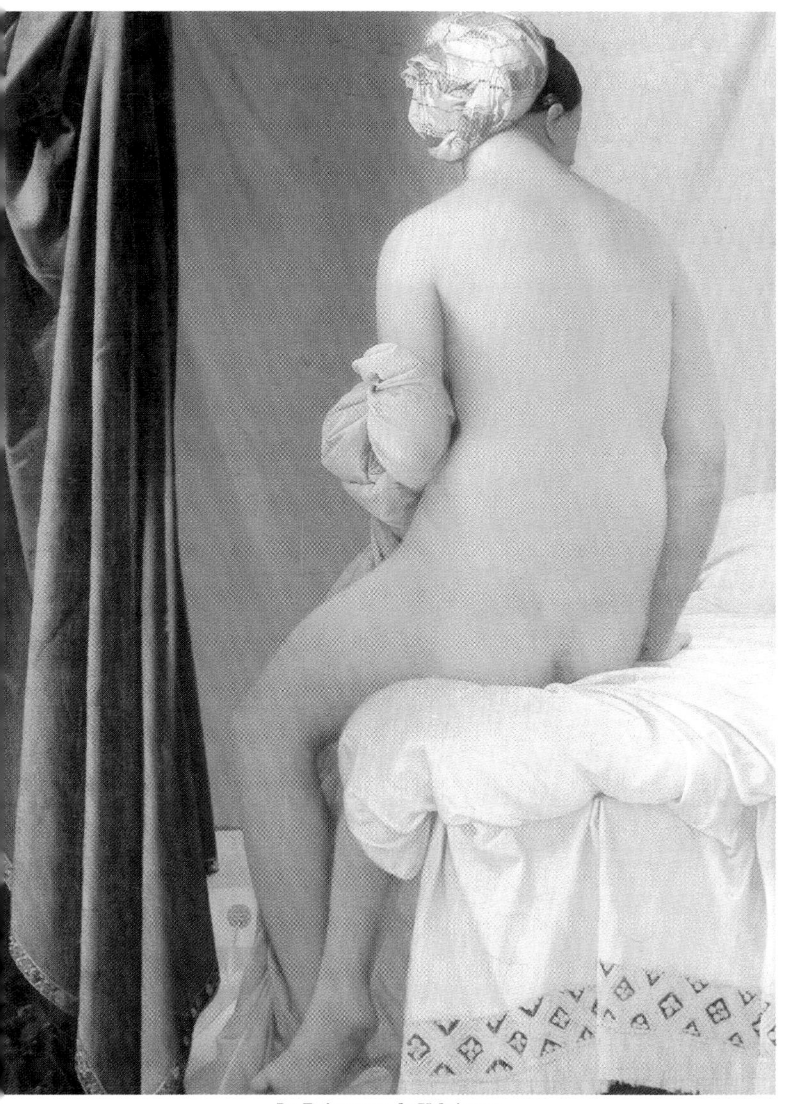

La Baigneuse de Valpinçon
Jean-Auguste-Dominique Ingres (1780-1867)
1808. Toile 1.46 x 0,97

“ La Méduse reste terrible par l’atmosphère de drame, la lumière verdâtre, l’enflure de la mer, l’horizon où tous cherchent le salut ”.

Le Radeau de la Méduse
Théodore Géricault (1791-1824)
1819. Toile, 4.91 x 7.16

“ Illustration en avance des Misérables d’Hugo avec le Gavroche brandissant ses pistolets ”.

La Liberté guidant le peuple (le 28 juillet 1830)
Eugène Delacroix (1798-1863)
1830. Toile, 2.60 x 3.25

La Vanne d'Optevoz
Charles-François Daubigny (1817-1878)
1859. Toile, 0.48 x 0.73

L'Église de Marissel, près de Beauvais
Jean-Baptiste Camille Corot (1796-1875)
1866. Toile, 0.55 x 0.42

LA PEINTURE ITALIENNE

Cimabue est l'ancêtre de la peinture en Italie. Il vécut au XIIIe siècle. C'est à lui qu'appartient l'honneur d'avoir rompu, dans une certaine mesure, avec les traditions byzantines. Mais c'est avec Giotto (1266-1337), élève de Cimabue, que commence une transformation des types auxquels vont recourir les peintres. Il conçoit ses tableaux avec une ampleur et une liberté merveilleuses, fait mouvoir ses personnages sur des fonds empruntés à la nature.

Le siècle suivant s'ouvre avec Fra Angelico da Fiesole, dont l'exquise candeur et la foi touchante ont fait un maître sans rival. Plus fougueux sera son disciple Benozzo Gozzo.

Il est, avec Masaccio, le précurseur de la Renaissance. Uccello, Del Castagno, Fra Filippo Lippi, Verrocchio, Pollaiuolo, Botticelli, Ghirlandaio, Mantegna, Gentile et Giovanni Bellini, Vivarini, etc., assurent le renom de l'école au XVe siècle.

Au XVIe siècle, les chefs de l'école sont, par ordre de naissance, Léonard de Vinci, Michel-Ange, Raphaël, Andrea del Sarto, Corrège, Titien, Giorgione. Chacun d'eux a des continuateurs. Aussi le XVIe siècle est-il, en quelque sorte, l'âge de la peinture.

Vers la fin du XVIe siècle, les Carrache dominent l'école; à leur suite viennent le Dominiquin, le Guerchin, Lanfranco, le Guide, l'Albane, etc.

C'est entre Venise et Naples que se répartit l'activité picturale la plus importante au XVIIIe siècle, malgré le maintien d'une école bolonaise avec Giuseppe Maria Crespi (1665-1747), malgré la présence à Rome, du décorateur de l'église Sant'Ignazia, Andrea Pozzo (1642-1709) et celle du graveur Piranèse (1720-1778). A Naples, l'art baroque anime puissamment l'œuvre de Francesco Solimena (1657-1747) et de son élève G. Bonito (1707-1789), tandis que le passage du baroque au rococo s'effectue, à Gênes, dans l'œuvre de Gregorio da Ferrari (1647-1726) et à Venise, dans celle de Jacopo Amigoni (vers 1682-1752) et de G.-B. Piazzetta (1682-1754). Pietro Longhi (1702-1785) s'est fait le chroniqueur de la ville.

En plein XVIIIe siècle encore, Venise compte un grand artiste de la Renaissance, Tiepolo (1696-1770). On voit toujours dans la ville, comme par le passé, de magnifiques processions et des fêtes imposantes enveloppées d'une atmosphère transparente, que Canaletto (1697-1768) d'abord, puis Francisco Guardi (1712-1793), paysagistes des lagunes, ont rendues avec tant de charme et de vérité. Giambattista Tiepolo, et puis plus tard son fils Giandomenico (1727-1804) a donné une dernière expansion à ces splendeurs. Son génie dérive de celui du Tintoret, mais avec plus de mesure, plus d'élégance ; c'est le peintre d'une aristocratie raffinée, dont la religion, influencée par l'Espagne, la Contre-Réforme et les Jésuites, offre un mélange subtil de mondanité et de dévotion. Tiepolo est à la fois le dernier des peintres anciens et le premier des modernes ; presque tous les grands décorateurs du XIXe siècle se sont inspirés de lui.

La Vierge et l'Enfant en majesté entourés de six anges
Cenni di Pepo, dit Cimabue
(vers 1240 - après 1302)
Vers 1270. Bois, 4.27 x 2.80

" Le vrai fondateur d'un art de nature ,(...) c'est de lui, après la longue obscurité qui suit la mort de la Grèce et de Rome, que pourrait être datée la Renaissance ".

Saint François d'Assise recevant les stigmates
Giotto di Bondone (vers 1267-1337)
Bois, 3.13 x 1.63

Le Portement de Croix
Simone Martini (vers 1284-1344)
Vers 1325-1335. Bois, 0.28 x 0.16

" La Vierge, délicieuse petite fillette blonde,
si gentille, si ingénue, presque sans corps,
sous son manteau bleu qui tombe d'une seule ligne droite ".

Le Couronnement de la Vierge
Guido di Pietri, dit Fra Angelico (connu depuis 1417-mort en 1455)
Avant 1435. Bois, 2.09 x 2.06

“ C’est un art à la fois de mosaïque et de miniature, marqué de grandeur farouche et de gaucherie naïve, qui subit des formules et qui s’essaie instinctivement à la recherche ”.

Le Bienheureux Ranieri Rasini délivre les pauvres d’une prison de Florence
Stefano di Giovanni, dit Sassetta (vers 1382-1450)
Bois, 0.43 x 0.63

Portrait de Ginevra d'Este
Antonio Puccio, dit Pisanello (1395 ?-1455)
Vers 1436-1438 ? Bois, 0.43 x 0.30

" (...) Où la confusion s'ordonne, où la mêlée des chevaux, des cavaliers, des lances, des guidons, des casques à cimier, se présente avec une sorte de symétrie ".

La Bataille de San Romano
Paolo di Dono, dit Uccello (1397-1475)
Vers 1455. Bois, 1.82 x 3.17

Portrait de Sigismond Malatesta *(1417-1468)*
Piero della Francesca (vers 1422-1492)
Vers 1450. Bois, 0.44 x 0.34

Le Calvaire
Andrea Mantegna (1431-1506)
Vers 1456-1460. Bois, 0.73 x 0.96

*“ Au fond,
les rochers sculptés
de la manière
précise
et impeccable
de Mantegna ”.*

Saint Sébastien
Andrea Mantegna (1431-1506)
Vers 1480. Toile, 2.55 x 1.40

Vénus et les Grâces offrant des présents à une jeune fille
Alessandro Filipepi, dit Botticelli (vers 1445-1510)
Vers 1483. Fresque, 2.11 x 2.83

Rien de plus doux,
le plus effacé, de plus
armonieux dans
'évanouissement que
les chairs pâles encore
i vivantes, que ces
ouleurs atténuées
ncore si fleuries ".

Saint Antoine de Padoue
Cosimo Turà (vers 1430-1495)
Bois, 0.71 x 0.31

Portrait d'un vieillard et d'un jeune garçon
Domenico di Tomaso Bigordi, dit Ghirlandaio (1449-1494)
Bois, 0.63 x 0.46

“ La bonté, la tendresse
infinies du bonhomme au nez
couvert de verrues,
en même temps que la confiance,
la grâce ingénue du joli enfant ”.

La Visitation entre Marie-Jacobie et Marie-Salomé
Domenico di Tomaso Bigordi, dit Ghirlandaio (1449-1494)
1491. Bois, 1.72 x 1.65

La Prédication de St Etienne à Jérusalem
Vittore Carpaccio (1450/54-1525/26)
Toile, 1.48 x 1.94

" Des disciples attentifs, des femmes assises en cercle sur le sol, un homme à chapeau pointu et à longue barbe, un nègre à turban blanc et des Turcs à manteaux somptueux, enturbannés eux aussi ".

Portrait de Mona Lisa, *dite* **La Joconde**
Leonardo di ser Piero da Vinci, dit Léonard de Vinci (1452-1519)
1503-1506. Bois, 0.60 x 0.47

Saint Jean-Baptiste
Leonardo di ser Piero da Vinci, dit Léonard de Vinci (1452-1519)
1513/16. Bois, 0.69 x 0.57

" Il y a de la fièvre qui vient des bleues vapeurs d'orage enroulées autour des rochers en aiguilles, des cœurs inquiets et des pensées fixes des personnages, de l'esprit chaleureux de l'artiste "

La Vierge aux Rochers
Leonardo di ser Piero da Vinci, dit Léonard de Vinci (1452-1519)
1483-1486. Toile cintrée, 1.99 x 1.22

La Charité
Andrea d'Agnolo di Francesco, dit Andrea del Sarto (1486-1530)
1518. Toile, 1.85 x 1.37

Salomé recevant la tête de St Jean-Baptiste
Bernardino Luini (vers 1475-1533)
Toile, 0.62 x 0.55

" La magnificen
d'une harmonie de form
et de mouvements

La Belle Jardinière (La Vierge et L'Enfant avec St Jean-Baptiste)
Raffaello Santi, dit Raphaël (1483-1520)
1507. Bois cintré, 1.22 x 0.80

Grande Sainte Famille
Raffaello Santi, dit Raphaël (1483-1520)
1518. Toile, 1.90 x 1.40

Portrait de Balthazar Castiglione
Raffaello Santi, dit Raphaël (1483-1520)
Vers 1514-1515. Toile, 0.82 x 0.67

Vénus, Satyre et Cupidon
Antonio Allegri, dit Le Corrège (vers 1489-1534)
Vers 1525. Toile, 1.88 x 1.25

Portrait d’homme, *dit* **l’Homme au gant**
Tiziano Vecellio, dit le Titien (1488/89-1576)
Vers 1520-1525. Toile, 1.00 x 0.89

*" Il dit le tumulte cruel du supplice du Christ,
le silence respectueux de l'ensevelissement, en même temps
qu'il agence la scène comme un opéra italien,
où chacun a son attitude voulue et théâtrale ".*

La Mise au tombeau
Tiziano Vecellio, dit Le Titien (1488/89-1576)
Vers 1525. Toile, 1.48 x 2.12

La Vierge et l'Enfant avec Sainte Catherine, *dit* **La Vierge au lapin**
Tiziano Vecellio, dit Le Titien (1488/89-1576)
1530. Toile, 0.71 x 0.87

Les Noces de Cana
Paolo Caliari, dit Véronèse (1528-1588)
(1562/63). Toile, 6.66 x 9.90

" C'est l'apparition de Venise dans l'histoire, avec ses palais de marbre, sa fête, sa couleur d'Orient, son caractère d'auberge splendide ".

Le Paradis
Jacopo Robusti, dit le Tintoret (1518-1594)
Vers 1578/79. Toile, 1.43 x 3.62

La Circoncision
Federico Barocci, dit Le Baroche (vers 1535-1612)
1590. Toile, 3.56 x 2.51

La Mort de la Vierge
Michelangelo Merisi, dit Le Caravage (vers 1571-1610)
1605/06. Toile, 3.69 x 2.45

La Diseuse de bonne aventure
Michelangelo Merisi, dit Le Caravage (vers 1571-1610)
Vers 1594/95. Toile, 0.99 x 1.31

L'Enlèvement d'Hélène
Guido Reni, dit Le Guide (1573-1642)
1631. Toile, 2.53 x 2.65

Le départ du Bucentaure vers le Lido de Venise, le jour de l'Ascension
Francesco Guardi (1712-1793)
Toile, 0.66 x 1.01

LA PEINTURE ESPAGNOLE

A la fin du XIIIe siècle et pendant presque tout le XIVe siècle, l'influence de la France prédomine en Espagne et se conjugue à l'action des Pays-Bas. Rien d'étonnant à cela : Jan van Eyck vient en Espagne et au Portugal en 1428 et d'autres artistes des bords de la Meuse et de l'Escaut, tels que Roger van der Weyden, laissent une trace dans la péninsule. L'art naturaliste qui se développe en Flandre depuis 1420 est à son tour adopté par les peintres espagnols, d'abord catalans.

Van Eyck exerce une profonde influence sur l'œuvre de Luis Dalmau qui, en 1443/45, exécute à Barcelone *La Vierge aux Conseillers* (Musée d'Art catalan, Barcelone).

Plus tard, en 1470, Femando Gallego, le maître le plus influent de la première école de Castille, qui passe pour l'élève de Petrus Christus dont on trouve en Castille des œuvres importantes, peint pour la cathédrale de Salamanque *Le Retable de saint Ildefonse*. Ces deux ouvrages sont d'une inspiration purement septentrionale. Les plus cassants des vêtements du retable, par exemple, sont caractéristiques de la technique flamande ; toutefois, les anges offrent un type bien espagnol.

Cependant, des artistes italiens venus travailler en Castille dès la fin du XIVe siècle et dans les premières années du XVe contrebalancent momentanément l'ascendant que les Flamands ont pu exercer. Toutes ces influences combinées contribuent à l'élaboration d'un style vraiment personnel où s'affirment les tendances espagnoles. Bientôt apparaissent différentes écoles : la catalane qui observe l'Italie, celle de Barcelone qui se tourne vers les Van Eyck, la sévillane et la castillane dont les maîtres préférés habitent les Pays-Bas.

Parmi les peintres d'Espagne sensibles aux leçons italiennes, Antonio de Rincon, né à Guadalajara (1446-vers 1500), qui après avoi séjourné en Italie, devient le peintre attitré de rois catholiques. Des apports flamands asse marqués se combinent avec des réminiscence italiennes, particulièrement celle de Ghirlandaic De moindre valeur Juan Rodriguez et Garci del Barco brossent diverses compositions pou les couvents et palais d'Avilà.

C'est alors qu'apparaît Pedro Berruguet (vers 1450-1503/04). Loin de renier le traditions flamandes à l'honneur, il manifeste a contraire une certaine attirance pour l'ar néerlandais, sans cependant rester insensible l'harmonie de la peinture italienne. Combinar ces deux tendances artistiques à so tempérament espagnol, il obtient un style bie personnel fait de naturalisme et de mysticism où domine la grandeur.

Berruguete n'a pas formé de disciple marquants, à l'exception de son fils, Alons surtout connu en sculpture, de Santa Cruz e de Juan de Borgoña (vers 1470-1535), qu fréquenta probablement en Italie l'atelier d Ghirlandaio, car il pratiqua la peinture à fresqu si peu utilisée en Espagne. De plus, l'ensemb des peintures qu'il traite, de l'Histoire de l Vierge ou des Scènes de la Passion du Chris témoignent de l'influence florentine, parti culièrement celle de Lippi et même parfois cel de Botticelli.

Toutefois l'artiste se montre égalemen inspiré par les Flamands : les scènes d l'*Embarquement de l'Armée à Carthagène et a Débarquement devant Oran* sont d'u naturalisme saisissant.

En Andalousie, Diego Lopez, Alons Sanchez et Luis de Medina couvrent d peintures à fresques purement italiennes, presqu vénitiennes même, les murailles de l'Universi d'Alcala de Henarès. Alrar Perez de Villoldo et Juan de Borgoña peignent dans la cathédrale de Tolède en 1495 de grandes compositions à fresques, toujours dans le sentiment italien. Au même moment, l'Italien Barbanegra et les Flamands Antonio Moro et Bosch, appelés en Espagne, y exercent une véritable influence.

Le XVIe siècle espagnol adoptera avec enthousiasme le maniérisme italien ; le style renaissant classique sera introduit en Espagne par la Flandre où il obtiendra l'exagération et le souci du détail.

Avec les Rois Catholiques, l'influence néerlandaise s'accentue. Ces princes favorisent le développement artistique et contribuent à la formation d'un art, sinon tout à fait officiel, du moins d'inspiration officielle. Très attirés vers l'art des Pays-Bas, ils acquièrent des œuvres flamandes et attirent près d'eux de nombreux artistes de ce pays.

Le Christ en croix adoré par deux donateurs
Domenikos Theotokopoulos dit Le Greco (1541-1614)
Vers 1585-1590. Toile, 2.60 x 1.71

*" La représentation de la mort, sans atténuation,
avec sa couleur et sa pourriture, le visage terreux,
la barbe poussée, les yeux vidés, peinture grave et terrible ".*

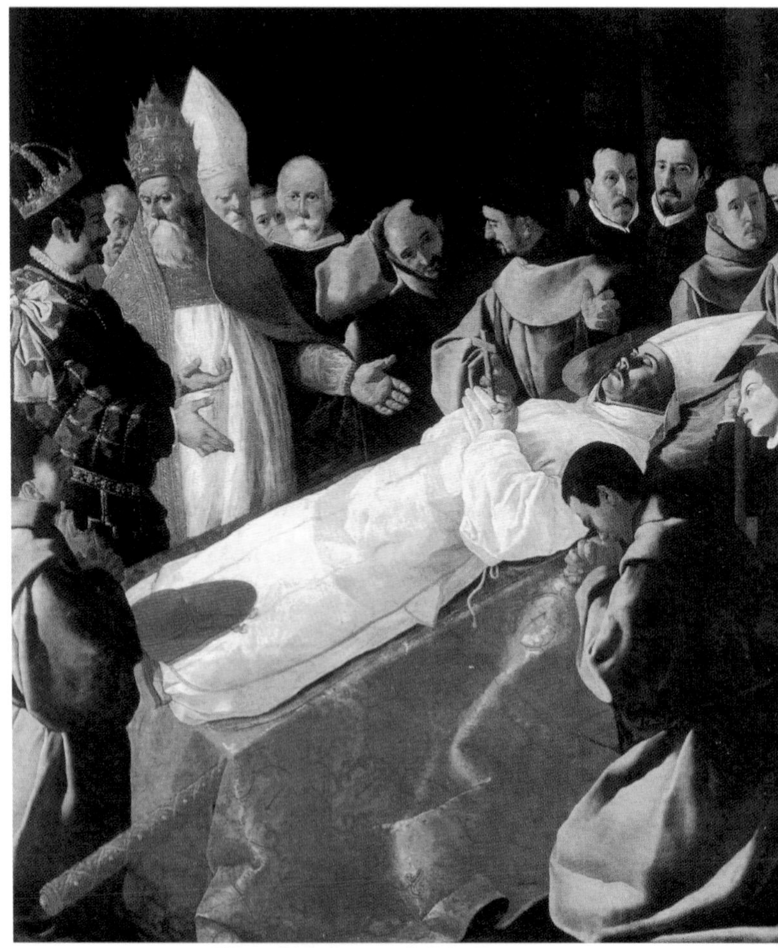

L'Exposition du corps de Saint Bonaventure
Francisco de Zurbaràn (1598-1664)
1629. Toile, 2.45 x 2.20

" L'estropié
vêtu de laine brune
qui rit
de toutes ses dents
à la lumière
et à la vie ".

Le Pied-bot
José de Ribera (1591-1652)
1642. Toile, 1.64 x 0.93

*" C'est un génie irrégulier, sarcastique et profond,
qui a violemment et généreusement senti la vie,
qui l'a exprimée d'un art rapide et fougueux,
où il y a de la comédie et de la tragédie,
de la grâce et de l'amertume ".*

Nature morte à la tête de mouton
Francisco José de Goya y Lucientes (1746-1828)
Toile, 0.45 x 0.62

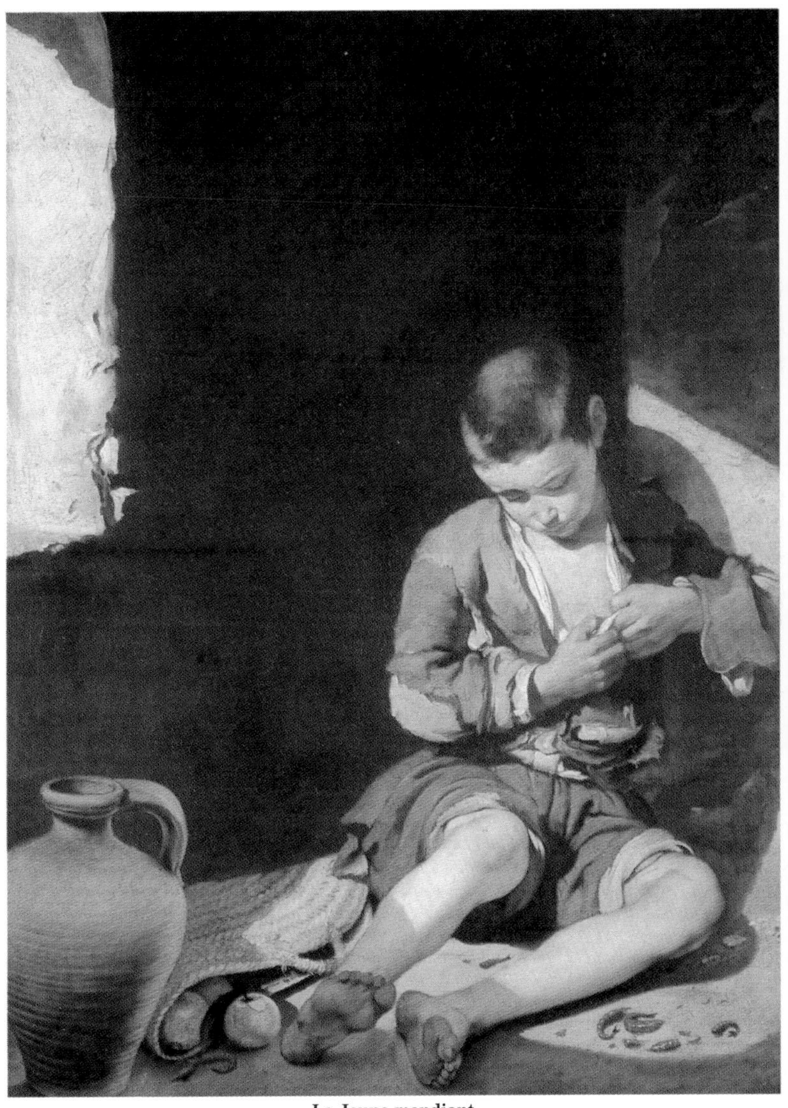

Le Jeune mendiant
Bartolomé Esteban Murillo (1618-1682)
Vers 1650. Toile, 1.34 x 1.00

LA PEINTURE ALLEMANDE

" Erasme ainsi représenté,
seul avec sa pensée,
est l'homme de son œuvre,
tel qu'il se révèle
prudemment
dans l'histoire ".

De la Flandre à l'Allemagne, la transition est facile, car entre les deux pays se sont établies d'étroites relations artistiques. Il ne faut pas oublier que les frontières n'ont pas été nettement établies jusqu'en 1600.

Les peintres sont de véritables artisans, organisés en guildes, soumis à des contrats leur précisant le sujet à peindre et leur fournissant au préalable l'argent nécessaire pour l'achat du matériel. Les premières peintures sur panneau de même que les peintures murales et les enluminures sont destinées à l'église.

Ici encore, c'est au sein des grandes villes de commerce, à Cologne, à Nuremberg, à Augsbourg, que se forment les écoles. La fidélité aux traditions gothiques y est grande; longtemps, elles se maintiennent en architecture, en sculpture, sans qu'on surprenne la préocupation bien marquée de l'Antiquité ou de l'Italie; mais en même temps, dans tous les arts plastiques, s'accentue la tendance au réalisme.

Elle est visible chez les sculpteurs dont plusieurs, tels Adam Krafft et Pierre Vischer, montrent beaucoup de vérité et de vie : le tombeau de S. Sebald à Nuremberg, que Vischer exécuta de 1508 à 1519, est l'œuvre maîtresse de la sculpture allemande à cette époque. Cependant la peinture devient l'art par excellence. Dès le XIVe siècle, des écoles fleurissent à Prague, à Nuremberg, à Cologne surtout.

Portrait de l'artiste au chardon
Albrecht Dürer (1471-1528)
1493. Parchemin collé sur toile, 0.56 x 0.44

Erasme écrivant
Hans Holbein le Jeune (1497/98-1543)
1523. Bois, 0.42 x 0.32

Dame de Livonie
Albrecht Dürer (1471-1528)
1521. Plume, encre brune et aquarelle, 0.28 x 0.18

Portrait d'Erasme
Albrecht Dürer (1471-1528)
Pierre noire, 0.37 x 0.26

Vénus debout dans un paysage
Lucas Cranach l'Ancien (1472-1553)
1529. Bois, 0.38 x 0.25

" Petite nudité délicate exhibée dans un paysage d'eau ".

L'Arbre aux corbeaux
Caspar David Friedrich (1774-1840)
Vers 1822. Toile, 0.59 x 0.74

LA PEINTURE FLAMANDE ET HOLLANDAISE

Dans les pays du Nord et de l'Ouest, où l'art gothique s'est parfois affaibli par l'esprit de recherche et de maniérisme, commence au XVe siècle à se former un art nouveau. Ici, ce ne sont pas les modèles antiques qu'on imite d'abord; le premier soin des artistes est de s'attacher à l'étude de la nature. Cependant, ils ne la voient, ni ne l'expriment comme ceux du XIIIe siècle, ou ceux de l'Italie, en se montrant en général moins soucieux de la noblesse et de l'harmonie du style, curieux avant tout, de la ressemblance individuelle la plus précise.

Ils sont réalistes au vrai sens du mot. L'importance que prend le portrait dans toutes leurs œuvres en est la preuve. Ils n'hésitent pas à peindre la laideur et la vulgarité, la réalité quotidienne dans ses aspects triviaux. Pourtant, ils n'ont pas entièrement rompu avec les souvenirs du Moyen Age : par les sujets qu'ils traitent et par leur foi, ce sont des artistes chrétiens, capables de ressentir et de traduire avec une sincérité naïve, l'inspiration religieuse.

Ces caractères et ces contrastes se comprennent, si on considère les origines de cet art. Il naît dans des villes de grosse bourgeoisie et de population dense et ouvrière où ne se retrouve pas la finesse du goût italien. Néanmoins, la poésie n'en est pas bannie, elle se concentre dans les sentiments intimes et les croyances qu'elle pénètre de tendresse et de mysticisme.

La Flandre est le pays où se manifest d'abord cette évolution de l'art. Elle le doit à s richesse et à son activité : au sein des grande cités d'industrie et de commerce, comme Bruge ou Gand, se forment les corporations ou guilde d'artistes d'où va sortir la rénovation. Puis vien la domination des ducs de Bourgogne : à leu cour fastueuse ou sous leur protection, travailler quelques-uns des grands maîtres flamands d XVe siècle. Bien que la Flandre ait eu de sculpteurs de mérite, l'activité créatrice de artistes se manifeste surtout dans la peinture pas de grandes décorations d'églises o d'édifices comme en Italie, l'architectur gothique a ruiné la peinture murale et les œuvre sont des tableaux.

En Hollande comme en Belgique, le XVII siècle est une époque de stagnation et d régression pour la peinture. Le goût d l'observation, la verve, les qualités des colori tout s'efface en même temps que décline l force créatrice.

" Le petit enfant Jésus marqué de sérieux précoce, semble affirmer sa volonté et sa puissance ".

La Vierge au chancelier Rolin
Jan van Eyck (mort en 1441)
Vers 1435. Bois, 0.66 x 0.62

L'Annonciation
Rogier van der Weyden (1399/1400-1464)
Vers 1435. Bois, 0.86 x O.93

Saint Jean-Baptiste
Rogier van der Weyden (1399/1400-1464) (volet gauche du triptyque de la famille Braque)
Vers 1450. Bois, 0.41 x 0.34

La Résurrection de Lazare
Geertgen tot Sint Jans, dit Gérard de Saint-Jean (1460/65-1488/93)
Vers 1480. Bois, 1.27 x 0.97

La Nef des fous
Hieronymus Bosch van Aeken (vers 1450-1516)
Vers 1500 (?) Bois, 0.58 x 0.32

Les Noces de Cana
Gérard David (1450/60-1523)
Bois, 1.00 x 1.28

" Tous deux ont les traits pointus, la bouche serrée, le visage sérieux des avares ".

Le Prêteur et sa femme
Quentin Metsys (1465/66-1530)
1514. Bois, 0.70 x 0.67

Le Nain du cardinal de Granvelle
Anthonis Van Dahorst, dit Antonio Moro (1517-1576)
Vers 1560. Bois, 1.26 x 0.92

*Il sait scruter les yeux, faire
enser les fronts, marquer un
aractère par la sérénité d'une
hair sanguine, par l'usure d'un
eint jauni, par la physionomie
es mains ".*

Les Mendiants
Pieter Bruegel le Vieux (vers 1525-1569)
1568. Bois, 0.18 x 0.21

Le Bouffon au luth
Frans Hals (1581-1666)
Vers 1620/25. Bois, 0.70 x 0.62

La Bohémienne
Frans Hals (1581/85-1666)
Vers 1628-30. Bois, 0.58 x 0.52

Apothéose d'Henri IV et proclamation de la régence de Marie de Médicis, le 14 mai 1610
Peter Paul Rubens (1577-1640)
Vers 1622/24. Toile, 3.94 x 7.27

" Où s'enroule et se déroule la ronde d'une humanité débridée parmi tous les festins de la mangeaille, de la buverie,
de la chair en folie ".

La Kermesse
Peter Paul Rubens (1577-1640)
Vers 1635/38. Bois, 1.49 x 2.61

Hélène Fourment au carrosse
Peter Paul Rubens (1577-1640)
Vers 1639. Bois, 1.95 x 1.32

Charles Ier d'Angleterre à la chasse
Antoon van Dyck (1599-1641)
Vers 1635. Toile, 2.66 x 2.07

Autoportrait au chevalet
Rembrandt Harmensz van Rijn (1606-1669)
1660. Toile, 1.11 x 0.90

" Nue, charnue et solide, avec de si jolies délicatesses du visage, du col, des épaules, beauté vivante et vraie qui fait s'effondrer tant de nudités conventionnelles et mensongères ".

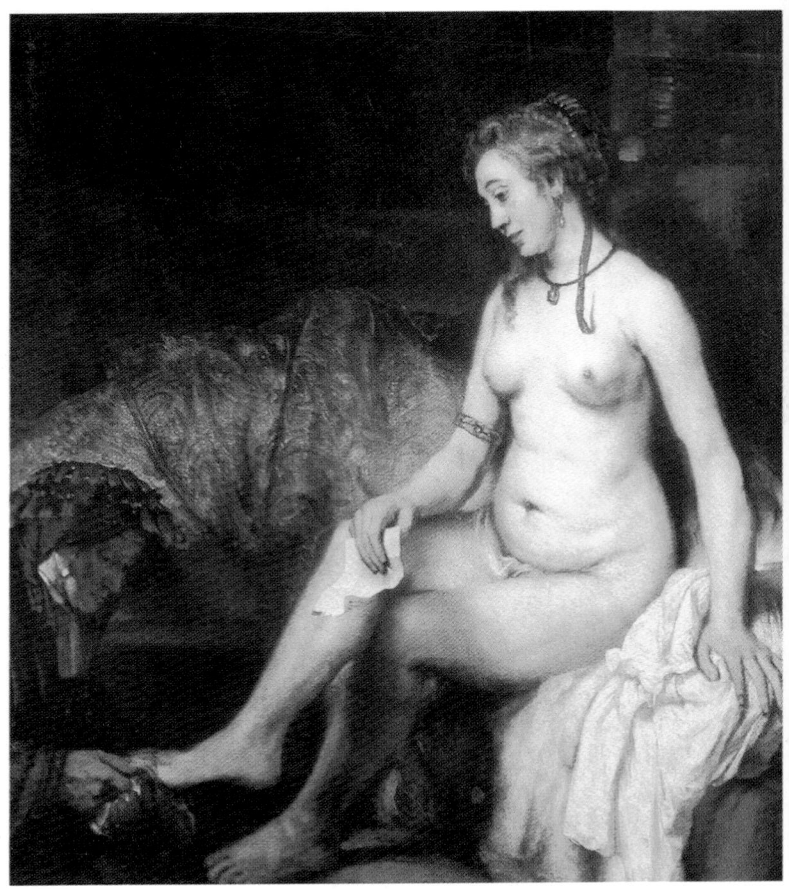

Bethsabée au bain
Rembrandt Harmensz van Rijn (1606-1669)
1654. Toile, 1.42 x 1.42

" Par la fenêtre la lumière entre,
se répand sous les voûtes, caresse
et réchauffe le vieillard ".

Le Philosophe en méditation
Rembrandt Harmensz van Rijn (1606-1669)
1632. Bois, 0.28 x 0.34

Le Bœuf écorché
Rembrandt Harmensz van Rijn (1606-1669)
1655. Bois, 0.94 x 0.69

" La blonde dentellière, en corsage jaune citron,
penchée vers son métier, ses fuseaux, ses bloquets ;
un coussin bleu, un écheveau de fil rouge jouent, avec
le corsage citron, un air qui aurait pu être aigu et vif,
mais l'atmosphère froide et argentée rend ce trio
tout à fait discret, tendre et pur ".

La Dentellière
Johannes Vermeer de Delft (1632-1675)
Vers 1665. Toile collée sur bois, 0.24 x 0.21

L'Astronome *dit aussi* **L'Astrologue**
Johannes Vermeer de Delft (1632-1675)
1668. Toile, 0.50 X 0.45

LA PEINTURE ANGLAISE

Jusqu'au XVIIIe siècle, l'Angleterre n'a pas eu d'école originale. L'art roman et l'art gothique ont passé du continent chez elle; après ses belles cathédrales, elle a employé une ornementation particulière du style ogival, le style perpendiculaire ; au XVIe siècle le style Tudor va du gothique au classique en combinant les deux. En peinture ce sont des étrangers, Holbein, Rubens, Van Dyck qui portraiturent l'aristocratie anglaise.

La véritable école anglaise dérive de l'école flamande. Le premier de ses peintres est William Hogarth (1697-1764). Ses tableaux sont des satires, des sermons, qui connaissent un grand succès et retracent avec fidélité les mœurs anglaises de ce temps. Sir Joshua Reynolds (1723-1792), remarquable technicien, a les qualités d'un Flamand ou d'un Vénitien. Il a d'ailleurs voyagé en Flandre et en Italie. Sa palette possède un éclat, une chaleur qui rendent à merveille la fraîcheur des jeunes femmes dont il a laissé un grand nombre de portraits. Thomas Gainsborough (1727-1788) est resté en Angleterre. Il a beaucoup admiré Van Dyck. Ses portraits sont d'une élégance rêveuse et sentimentale.

D'autres portraitistes, Romney, Hoppner, Raeburn ont peint aussi de séduisants portraits. Lawrence (1769-1830) plaît par l'élégance de ses figures. Sa palette raffinée joue à merveille des oppositions de noir et de blanc. Il est le dernier grand portraitiste de cette école.

Conversation dans un parc (probablement Gainsborough et sa femme)
Thomas Gainsborough (1727-1788)
Vers 1746/47. Toile, 0.73 x 0.68

Lady Alston
Thomas Gainsborough (1727-1788)
Vers 1760/65. Toile, 2.26 x 1.68

Master Hare
Sir Joshua Reynolds (1723-1792)
1788/89. Toile, 0.77 x 0.63

« La lumière dorée, nuancée, lointaine,
donne aux choses des formes d'apparitions ».

Paysage avec une rivière et une baie dans le lointain
Joseph Mallord William Turner (1775-1851)
Vers 1845. Toile, 0.93 x 1.23

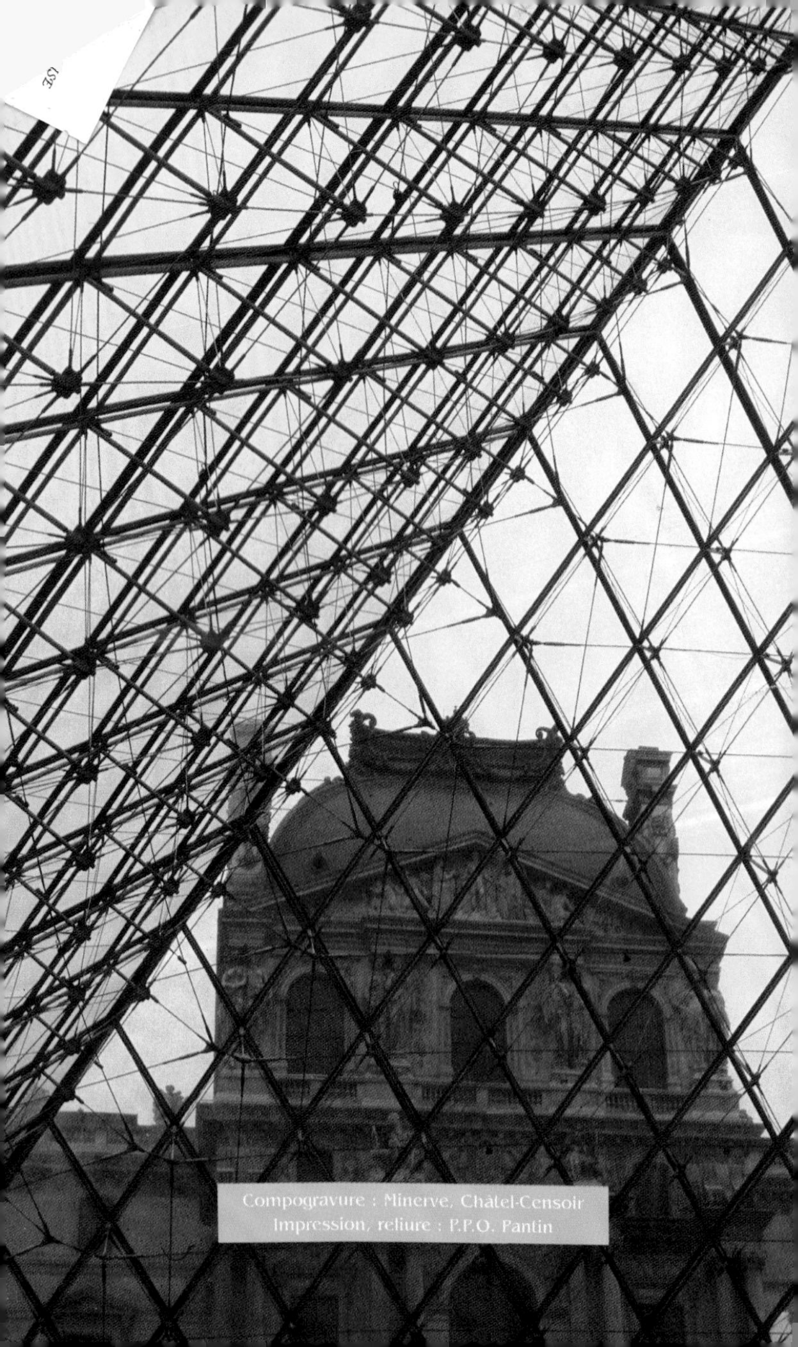

Compogravure : Minerve, Châtel-Censoir
Impression, reliure : P.P.O. Pantin